쉬운 임당

닥터다이어리

목차

처음임당 2주차

닥터다이어리 실현 가치		04
프로그램 목적		06
닥터다이어리가 제안하는 건강 습관 형성 메뉴얼		08
처음임당 커리큘럼		10
처음임당 2주차	DAY 06. 임당 관리, 가족과 함께하기	12
	DAY 07. 적정 체중 바로 알기	24
	DAY 08. 식후 20분 산책하기	36
	DAY 09. 식이섬유 챙기기	48
	DAY 10. 당지수 활용하기	60
이 책을 만든 사람들		72

닥터다이어리 실현 가치

닥터다이어리

만성질환관리
헬스케어 플랫폼

질환은 언제나 외롭고 '혼자'라는 생각이 들게 합니다.
닥터다이어리는 질환자들이 이러한 감정 침체에서 벗어나
일상으로의 회복이 가능하도록 돕고
건강의 가치를 지속적으로 제공할 수 있도록 노력합니다.

닥터다이어리는 만성질환관리 헬스케어 서비스를 기반으로
환자들의 생명 연장 가치를 실현합니다.
당뇨인의 평생관리 파트너로서 모바일 앱을 통한
혈당관리, 질환 정보, 커뮤니티 서비스를 제공하고 당뇨관리에
필수적인 의료기기, 건강식품, 식단 등을 온라인 커머스와
무화당 오프라인 매장을 통해 판매, 개척해 나갑니다.

향후 닥터다이어리는 질환 관리 서비스를 넘어
만성질환을 가지고 있는 사람들의 삶에
필수적인 공존질환 관리 단일 플랫폼으로 발전하고자 합니다.

닥터다이어리 공동창업자 *송제윤, 류연지*

닥터다이어리 어플리케이션

혈당 기록, 식사 기록, 만보기부터 닥다몰, 건강보고서, 코칭 서비스, 유저 커뮤니티 등의 기능을 지원하는 어플리케이션으로 당뇨에 필요한 정보와 서비스를 전부 모아뒀습니다.

닥터다이어리는 앱스토어와 구글플레이스토어에서 다운로드 가능합니다.

프로그램 목적

쉬운임당

**엄마를 위한
작은 배려**

"설마 내가 임당이겠어?"

설마 했던 임신성 당뇨병 진단은 엄마에게 대단히 충격적인 일이고,
임당은 엄마들이 가장 부정하고 싶은 증상 중 하나입니다.

임당 때문에 사랑스러운 아가에 대한 걱정이 커져만 갑니다.
먹을 것에 대한 고민이 많아지고, 음식 절제는 스트레스로 다가옵니다.
어떤 운동을 해야 할지 정하는 것도 어려운 일인데, 실천은 더 어렵습니다.

그런데 임당은 관리가 필요한 것은 분명하지만,
위기를 기회로 바꿀 수 있는 절호의 타이밍이기도 합니다.
더 건강한 엄마가 되려는 노력은 더 건강한 아이와의 만남을 약속합니다.

본 교재는 그 어느 때보다 건강 관리가 절실해진 엄마를 위해
더 쉽고, 간단한 임당 관리 방법을 알려주기 위해 개발되었습니다.

엄마의 건강, 엄마의 책임감, 엄마의 자존감을 지키며
건강한 식단과 활동적인 생활을 하는 방법을 배우고 실천해 보세요.
건강한 실천을 늘릴수록 걱정은 희망으로 바뀌어 갑니다.

본 교재를 읽는 모든 엄마를 응원합니다.

닥터다이어리 연구소장 *애신민균*

처음임당

임신성 당뇨병 진단은 엄마에게 큰 충격으로 다가옵니다.
엄마의 건강과 뱃속의 아가에 대한 걱정도 크지만,
이제부터 임당을 어떻게 관리해야 할지 막막하다고 합니다.

하지만 임당 관리는 걱정과 불안이 아니라,
엄마와 아가의 건강을 위해 미리 관리한다고 볼 수 있어요.

처음 접하는 임신성 당뇨병의 막막함을 덜어드리고,
임당 관리를 쉽고 간단하게 하는 방법을 알려드리겠습니다.

닥터다이어리가 제안하는 건강 습관 형성 매뉴얼

01 평가하기

당뇨병을 가장 잘 관리하는 방법은 건강한 습관을 하나씩 늘려가는 것인데요. 현재의 건강 습관을 평가해보세요! 혹시라도 문제가 되는 습관이 있어도 걱정하실 필요는 없어요. 나의 건강하지 않은 습관이 무엇인지 아는 것이 건강 습관 형성의 시작이에요!

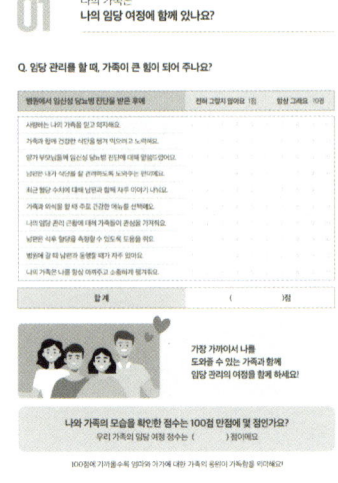

02 조언 받기

건강 습관을 평가했다면, 왜 건강 습관이 필요한지, 그리고 건강하지 않은 습관이 지속될 경우 어떠한 문제점이 있는지 알아보아요!
문제가 무엇인지 알 수 있다면, 문제를 개선하는 방법을 찾아낼 수 있어요!

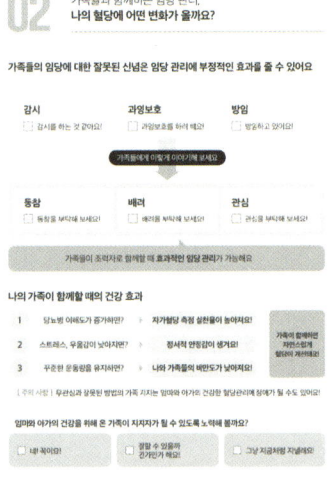

03 목표 설정하기

매일 하나씩 건강 습관 목표를 세워보세요.
닥터다이어리가 제안하는 건강 습관은 어렵지 않아요.
당뇨병 관리를 위해 반드시 필요한 습관을 조금씩 늘려가다보면 저절로 건강이 개선되어요!

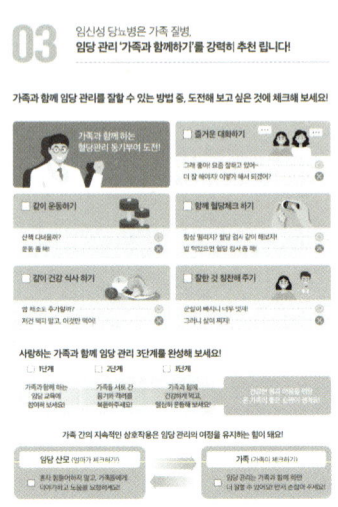

04 도움받기

삶의 다양한 상황 속에서 오늘의 건강 습관 목표를 잘 해낼 수 있는 기술을 습득하고, 건강 습관 형성에 대한 자신감을 가져보세요! 자신감은 건강한 행동의 실천 가능성을 높여줘요!

05 미션 도전하기

일상 속에서 건강한 행동을 더 많이 해낼 수 있도록, 닥터다이어리에서 제안하는 미션을 확인해보세요! 그리고 도전할 수 있는 건강 습관에 체크를 해보고, 실제로 그 미션을 수행해보세요! 미션을 훌륭히 해낼 수록 더 건강한 나를 만날 수 있어요!

06 건강 습관 완성

처음임당 2주차

처음임당 커리큘럼

1주차

01 갑작스러운 임당, 그리고 나는 엄마
Misson
혈당 조절 목표 바로 알기

02 엄마의 현명한 선택, 간식 꾸러미
Misson
간식에서 단순당 줄이기

2주차

06 임당 여정, 가족의 소중함
Misson
임당 관리, 가족과 함께하기

07 엄마와 아가, 바람직한 체중 증가
Misson
적정 체중 바로 알기

3주차

11 단짠 NO! 담백 YES!
Misson
담백하게 먹기

12 더 건강한 식탁, 똑똑한 장보기
Misson
장보기 전 계획 세우기

4주차

16 고혈당 유발, 스트레스 OUT
Misson
오롯이 나만 생각하기

17 긴급 상황, 저혈당 SOS
Misson
저혈당 상황 미리 알고 대처하기

천천히 익히는 임당 습관 4주 챌린지!

처음임당 커리큘럼

DAY 06　임당 여정, 가족의 소중함

Mission　임당 관리, 가족과 함께하기

임당 진단을 받으면 세상에 나만 혼자인 느낌이 들 수 있어요.
우울하고 외로운 기분이 들 수 있지만, 혼자 감당하면 힘들어요.
임당 관리는 혼자가 아닌 가족의 지지와 격려가 너무나 필요해요.
오늘은 엄마와 아가, 그리고 가족과 함께 임당의 여정을 함께하는
방법을 알려드리겠습니다.

STEP. 01　평가하기

01 ── 임신 여정과 나의 가족

배는 점점 불러와서 몸은 무겁고,
속도 불편해서 혈당 관리가 힘들게 느껴집니다.

매일 여러 번 혈당을 체크해야 하고,
건강 식단 준비와 운동까지 챙기면
다른 임산부는 괜찮은 것 같은데
'나만 왜 이렇게 힘들까' 하는 생각도 들지요.

이 힘든 시기에 소중한 아가를 만나려면
엄마 혼자만 노력하는 것이 아니라
가족 모두가 도와줘야 해요.

오늘은 나를 가장 사랑하는 가족들과
임당 여정을 함께 하는 방법을 살펴보아요.

01 나의 가족은 나의 임당 여정에 함께 있나요?

Q. 임당 관리를 할 때, 가족이 큰 힘이 되어 주나요?

병원에서 임신성 당뇨병 진단을 받은 후에	전혀 그렇지 않아요 1점 항상 그래요 10점
사랑하는 나의 가족을 믿고 의지해요.	1　2　3　4　5　6　7　8　9　10
가족과 함께 건강한 식단을 챙겨 먹으려고 노력해요.	1　2　3　4　5　6　7　8　9　10
양가 부모님들께 임신성 당뇨병 진단에 대해 말씀드렸어요.	1　2　3　4　5　6　7　8　9　10
남편은 내가 식단을 잘 관리하도록 도와주는 편이에요.	1　2　3　4　5　6　7　8　9　10
최근 혈당 수치에 대해 남편과 함께 자주 이야기 나눠요.	1　2　3　4　5　6　7　8　9　10
가족과 외식을 할 때 주로 건강한 메뉴를 선택해요.	1　2　3　4　5　6　7　8　9　10
나의 임당 관리 근황에 대해 가족들이 관심을 가져줘요.	1　2　3　4　5　6　7　8　9　10
남편은 식후 혈당을 측정할 수 있도록 도움을 줘요.	1　2　3　4　5　6　7　8　9　10
병원에 갈 때 남편과 동행할 때가 자주 있어요.	1　2　3　4　5　6　7　8　9　10
나의 가족은 나를 항상 아껴주고 소중하게 챙겨줘요.	1　2　3　4　5　6　7　8　9　10
합 계	(　　　)점

가장 가까이서 나를
도와줄 수 있는 가족과 함께
임당 관리의 여정을 함께 하세요!

나와 가족의 모습을 확인한 점수는 100점 만점에 몇 점인가요?
우리 가족의 임당 여정 점수는 (　　　) 점이에요

100점에 가까울수록 엄마와 아가에 대한 가족의 응원이 가득함을 의미해요!

STEP. 02 조언 받기

02 —— 가족들의 격려와 지지

임당 판정은 산모를 힘들게 할 뿐 아니라
가족들에게도 영향을 미칠 수 있습니다.

산모를 걱정하는 마음이 앞서서
가족들이 감시나 과잉보호를 하거나,
때론 방임을 할 수도 있어요.

현재의 상황, 힘든 점, 산모의 노력 등에 대해
가족에게 솔직하게 이야기해보세요.

가족들이 조력자로 함께 할 때
효과적인 임당 관리가 가능해요!

02 가족들과 함께하는 임당 관리, 나의 혈당에 어떤 변화가 올까요?

가족들의 임당에 대한 잘못된 신념은 임당 관리에 부정적인 효과를 줄 수 있어요

감시
☐ 감시를 하는 것 같아요!

과잉보호
☐ 과잉보호를 하려 해요!

방임
☐ 방임하고 있어요!

가족들에게 이렇게 이야기해 보세요

동참
☐ 동참을 부탁해 보세요!

배려
☐ 배려를 부탁해 보세요!

관심
☐ 관심을 부탁해 보세요!

가족들이 조력자로 함께할 때 효과적인 임당 관리가 가능해요

나의 가족이 함께할 때의 건강 효과

1. 당뇨병 이해도가 증가하면? ▸ 자가 혈당 측정 실천율이 높아져요!
2. 스트레스, 우울감이 낮아지면? ▸ 정서적 안정감이 생겨요!
3. 꾸준한 운동량을 유지하면? ▸ 나와 가족들의 비만도가 낮아져요!

→ 가족이 함께하면 자연스럽게 혈당이 개선돼요!

[주의 사항] 무관심과 잘못된 방법의 가족 지지는 엄마와 아가의 건강한 혈당관리에 장애가 될 수도 있어요!

엄마와 아가의 건강을 위해 온 가족이 지지자가 될 수 있도록 노력해 볼까요?

☐ 네! 꼭이요!   ☐ 잘할 수 있을까 긴가민가해요!   ☐ 그냥 지금처럼 지낼래요!

STEP. 03 목표 설정하기

03 ── 가족과 함께하기

홀로 임당 관리는 이제 그만,
가족과 함께 임당 관리를 해보세요.

함께 살며 같은 생활 습관을 가진 가족들과
서로 의지하며 건강한 습관을 가져보는 겁니다.

같이 열심히 운동하고, 같이 기분 좋게 걷고,
같이 건강하고 영양가 있는 식사를 차려 먹고,
같이 혈당 체크를 하며 서로에게 힘이 되어주세요.

혼자가 아닌 가족과 함께한다면
힘들었던 임당 관리의 여정도
더 잘 해낼 수 있어요!

03 임신성 당뇨병은 가족 질병, 임당 관리 '가족과 함께하기'를 추천드립니다!

가족과 함께 임당 관리를 잘할 수 있는 방법 중, 도전해 보고 싶은 것에 체크해 보세요!

가족과 함께하는 혈당 관리 동기부여 도전!

☐ **즐거운 대화하기**
- 그래 좋아! 요즘 잘하고 있어~ ⊙
- 더 잘 해야지! 이렇게 해서 되겠어? ✗

☐ **같이 운동하기**
- 산책 다녀올까? ⊙
- 운동 좀 해! ✗

☐ **함께 혈당 체크 하기**
- 항상 떨리지? 혈당 검사 같이 해보자! ⊙
- 밥 먹었으면 혈당 검사 좀 해! ✗

☐ **같이 건강 식사 하기**
- 쌈 채소도 추가할까? ⊙
- 저건 먹지 말고, 이것만 먹어! ✗

☐ **잘한 것 칭찬해 주기**
- 군살이 빠지니 너무 멋져! ⊙
- 그러니 살이 찌지! ✗

사랑하는 가족과 함께 임당 관리 3단계를 완성해 보세요!

☐ **1단계** — 가족과 함께 하는 임당 교육에 참여해 보세요!

☐ **2단계** — 가족들 서로 간 용기와 격려를 북돋아 주세요!

☐ **3단계** — 가족과 함께 건강하게 먹고, 열심히 운동해 보세요!

→ 건강한 몸과 마음을 위한 온 가족의 좋은 습관이 생겨요!

가족 간의 지속적인 상호작용은 임당 관리의 여정을 유지하는 힘이 돼요!

임당 산모 (엄마가 체크하기)
☐ 혼자 힘들어하지 말고, 가족들에게 이야기하고 도움을 요청하세요!

가족 (가족이 체크하기)
☐ 임당 관리는 가족과 함께 하면 더 잘할 수 있어요! 먼저 손잡아 주세요!

STEP. 04 도움받기

04 ── 나와 가족들의 마음 챙기기

임당 진단을 받을 때
산모뿐만이 아니라 가족 또한
걱정과 불안함을 느꼈을 겁니다.

이럴 때 서로의 입장을 이해해 주고
공감해야 합니다.

그리고 자신의 감정과 생각을
솔직하게 표현해야 해요.

나와 남편, 그리고 부모님에게
고마움과 사랑을 가득 담은 메시지를
전해보면 어떨까요?

04 오늘은 가족들의 **마음을 헤아려 보세요!**

처음 임당 진단을 받았던 날이 기억나세요?
그때 나와 가족들의 마음을 떠올려보세요!

임당 진단받고 당황스럽고 불안했어요. 가족들에게 선뜻 이야기하기 어려웠죠. 많이 외로웠어요.

임당이란 게 참 낯설고 무엇인지도 몰랐죠. 아내에게 어떤 걸 함께하고 어떤 이야기를 할지 막막했어요.

임당이라 해서 당뇨병이라 많이 놀랐어요. 걱정이 많이 됐죠. 하지만 조심스러워 아무런 도움을 줄 수 없었어요.

오늘은 임당 여정을 함께하는 가족에게 **따뜻한 메시지를 전해보세요**

임당 진단 후 식사, 운동 챙기는 나 자신이 대견해요. 지칠 때도 있지만 아가와 나의 건강을 위해 최선을 다할래요.

남편이 내 이야기를 들어주는 것만으로 안정이 돼요. 야식, 간식 먹고 싶은 거 참고 건강식을 챙길 때 미안해요.

몸과 맘이 너무 힘들 때, 부모님 찬스는 정말 감사해요. 한 발짝 뒤에서 나와 아가를 응원해 주세요.

STEP. 05   미션 도전하기

05 ── 가족과 함께하는 건강행동

임당 여정을 소중한 가족과 함께 시작하세요.

가족과 함께 쉬운 건강 행동부터 실천해 보세요.

누구나 쉽게 실천할 수 있는 건강 행동을 통해
건강 관리에 대한 자신감을 함께 키워보세요.

서로의 일상을 공유하고, 대화를 자주 나누다 보면
임당 관리로 무거웠던 어깨가 한결 가벼워질 거예요.

혼자가 아닌 가족과 함께 하는 임당 관리는
사랑과 행복이 넘치는 가정이 만들어져요.

온 가족의 혈당이 더 건강해짐이 느껴지나요?

05 온 가족이 다 함께 건강 습관을 실천하면
우리 가족의 건강이 완성돼요!

가족과 함께 할 수 있는 건강 행동 중, 도전해 보고 싶은 것에 체크해 보세요!

온 가족이 함께 실천해 보세요!

- [ ] 식후 혈당을 체크하고, 서로 확인해 주기
- [ ] 건강 식재료 장 보러 가기
- [ ] 건강한 요리에 도전하기
- [ ] 산책하러 가기
- [ ] 기분 좋은 대화 자주 나누기
- [ ] 서로 칭찬해 주기
- [ ] 11시 이전에 잠자리에 들기
- [ ] 배 속에 있는 아가에게 덕담해 주기

앞으로 더욱 기대되는 가족의 모습을 상상해 보세요!

- [ ] 건강한 식사 덕분에 가족의 비만이 사라져요!
- [ ] 가족 간의 대화가 그 어느 때보다 애틋하고 즐거워요!
- [ ] 자주 만나고 이야기하다 보니, 서로를 더 많이 알게 돼요!
- [ ] 온 가족의 혈당이 더 건강해져요!
- [ ] 배 속의 아가에게 행복한 가족들의 목소리를 자주 들려줘요!
- [ ] 가족과 함께 임당 관리를 잘한 덕분에 건강하고 행복하게 출산해요!

처음임당 커리큘럼

DAY 07
엄마와 아가, 바람직한 체중 증가

Mission 적정 체중 바로 알기

임신 중 체중 증가는 지극히 자연스러운 현상입니다.
하지만 체중이 20 ~ 30 kg 이상 급격하게 증가할 경우
혈당 조절이 어려울 수 있어요. 게다가 산모와 태아의 건강에
위험을 줄 수 있어서 급격한 체중 변화는 위험해요.
오늘은 임신 중 바람직한 체중 증가에 대해 알려드리겠습니다.

STEP. 01 평가하기

01 ── 임신기간 중 체중 변화

임신 후 식사량이나 체중 변화가 있었나요?

엄마의 체중 증가는
배 속의 아이가 자라면서 발생하는
자연스러운 현상입니다.

하지만 체중이 급격히 변하진 않았는지
확인할 필요가 있어요.

오늘은 나의 임신 중 체중 변화와 함께
앞으로의 체중 관리에 대해
생각하는 시간을 가져볼게요.

01 임신 기간 동안 체중 변화는 어떤가요?

임신 기간 중 변화된 체중에 대한 나의 생각은 어떤가요?

- 임신 초부터 입맛이 좋아서 체중이 많이 늘었지만, 아기가 잘 크고 있다고 생각해요. ☐
- 출산 후에 임신 전 체중으로 신속하게 돌아가기 위해서 현재 체중을 유지하려고 해요. ☐
- 현재 입덧이 심해서 임신 전보다 체중이 오히려 줄었어요. 체중이 늘지 않아 걱정이에요. ☐
- 체중을 확인하면 스트레스를 받아서 병원에 갈 때만 체중을 확인하고 있어요. ☐
- 임신 기간 중 아기가 무럭무럭 자라고 있다면, 20kg 이상 체중이 늘어도 괜찮다고 생각해요. ☐
- 임신 후 늘어난 체중은 출산하면 다시 원상복구 될 것이기 때문에 신경 쓰지 않아요. ☐

위 항목들 중 해당하는 것이 있다면 임신 기간 중 적절한 체중 관리가 필요한 상황이에요!

임신 기간 동안 체중 관리에 대한 나의 마음에 체크해 보세요!

| ☐ 출산 후 신속한 체중 회복을 위해 임신기간 체중을 늘리지 않겠어요 | ☐ 스트레스를 받지 않고 자연스럽게 체중이 변화하는 대로 지내겠어요 | ☐ 적정 체중 증가 목표를 세우고, 안전하게 체중을 증가시키고 싶어요. |

처음임당 2주차

STEP. 02 조언 받기

02 ── 적절한 체중 증가의 중요성

임신 중 체중이 증가하는 이유는
배 속의 아이 무게와 양수, 태반,
자궁, 혈액량 등이 증가하기 때문입니다.

하지만 과도한 체중 증가는
엄마와 아가의 건강을 위해 피해야만 해요.

엄마에게는 거대아 출산, 조산, 임신중독과 같은
건강 문제가 발생할 수 있어요.
그리고 아기가 성인이 되었을 때
대사증후군 발생률이 증가할 수 있어요.

그래서 엄마 그리고 아이를 위해
체중 증가의 정상 범위를 지켜야 해요.

02 엄마의 체중 변화가 적정 체중 범위를 벗어나면
엄마와 아기가 위험할 수 있어요

엄마의 체중 증가가 정상 범위를 벗어나면 엄마와 아기의 건강에 어떤 문제가 생길까요?

임당 산모의 정상적인 체중 증가 범위 이탈 → 엄마의 자궁 환경에 문제 발생 → 엄마와 아기의 건강에 위험 요소 증가 → 아기가 성인이 되었을 때 대사증후군 발생률 증가

! 임신 중 불규칙적인 식사나 영양불균형이 원인이 될 수 있어요!

엄마의 자궁에 문제가 생기면 아기의 대사과정에도 문제가 생길 수 있어요!

거대아, 미숙아, 조산, 유산, 임신중독증 등이 생길 수 있어요!

당대사 장애, 심혈관질환, 고지혈증, 고혈압 등의 발생률이 높아져요!

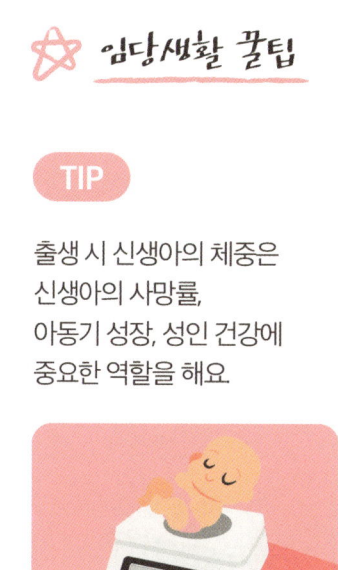

★ 임당생활 꿀팁

TIP

출생 시 신생아의 체중은 신생아의 사망률, 아동기 성장, 성인 건강에 중요한 역할을 해요

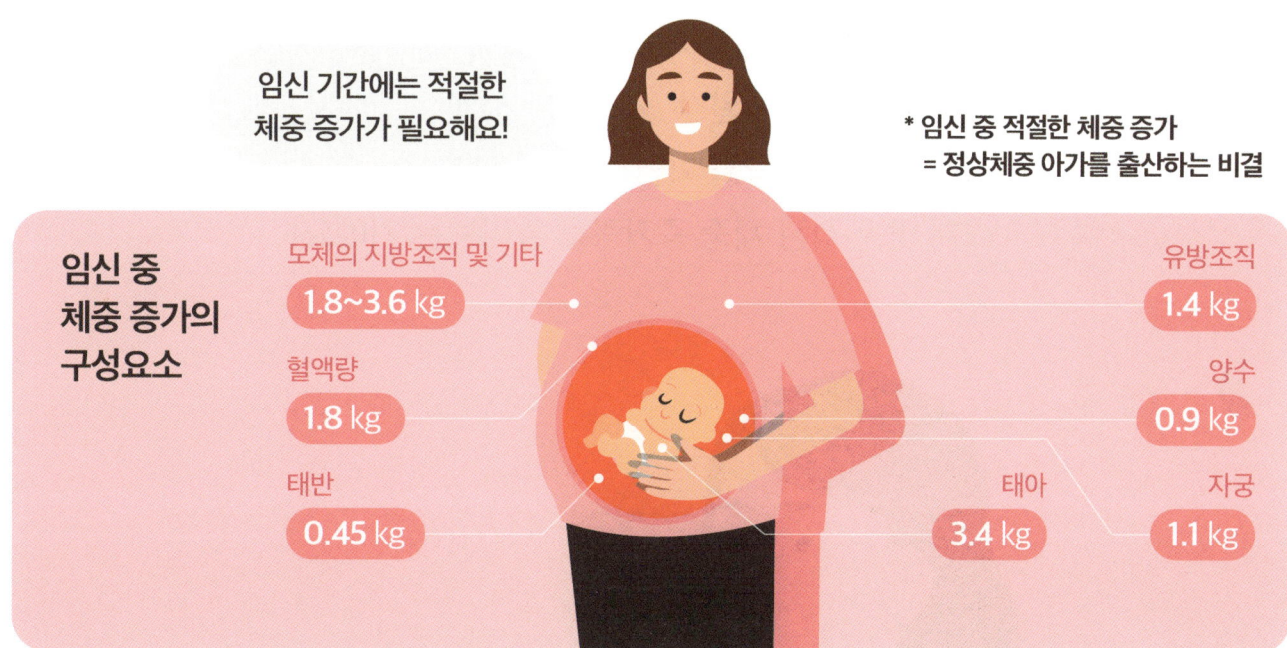

임신 기간에는 적절한 체중 증가가 필요해요!

* 임신 중 적절한 체중 증가 = 정상체중 아가를 출산하는 비결

임신 중 체중 증가의 구성요소

- 모체의 지방조직 및 기타: 1.8~3.6 kg
- 혈액량: 1.8 kg
- 태반: 0.45 kg
- 유방조직: 1.4 kg
- 양수: 0.9 kg
- 태아: 3.4 kg
- 자궁: 1.1 kg

엄마의 건강과 아가의 성장을 위해 적절한 체중 관리를 시작할 마음의 준비가 되었나요?

☐ 오늘부터 적절한 나의 체중을 확인하겠어요　　☐ 아직은 잘 모르겠어요　　☐ 아니요. 체중 관리는 필요 없을 것 같아요

처음임당 2주차

STEP. 03 목표 설정하기

03 ── 임신 중 적정 체중 증가

임신 중 적정 체중 증가량을 알아야 합니다.

먼저, 임신 전 체중과 키로 BMI(체질량지수)를 계산할게요.
몸무게(kg)를 키(m)의 제곱 값으로 나눈 값이
BMI(체질량지수)입니다.

체질량 지수를 기준으로
오른쪽의 적정 체중 증가량 표를 바탕으로 계산하세요.

임신 전 체중과 현재 체중의 차이,
중기 말기의 일주일간
적정 체중 증가량을 확인하며
내게 맞는 적정 체중 증가량을 알아보는 거예요!

03 엄마와 아가의 출산 합병증 예방을 위해
엄마의 '적정 체중 증가 바로 알기'를 추천드립니다!

임신 전 엄마의 비만도(BMI)를 알면 임신기간 중 적절한 체중 증가를 알 수 있어요!

먼저 엄마의 임신 전 **체중과 키**로 비만도를 알아볼까요?

비만도 계산법 : **비만도(BMI) = 몸무게(kg) / (키(m) x 키(m))**
몸무게 55 kg / 키 160 cm일 경우 : 55/(1.6 x 1.6) = 21.5(정상)

계산해보기 ☐ (임신 전 체중) / ☐ (키) X ☐ (키) = ☐ kg/㎡

☐ 저체중   ☐ 정상   ☐ 과체중   ☐ 비만
    18.5   25   30

그럼 비만도에 따른 임신기간 **나의 적정 체중 증가량**은 어느 정도인가요?

단태아

	체질량지수	총 체중 증가(kg)	중기 말기 체중 증가
☐	<18.5(저체중)	12~18	0.5 kg / 주 (2 kg/월)
☐	18.5~24.9(보통)	11~15	0.35 kg / 주 (1.4 kg/월)
☐	25~29.9(과체중)	6~11	0.2~0.3 kg / 주 (0.9 kg/월)
☐	≥30.0(비만)	5~9	0.2 kg / 주 (0.8 kg/월)

쌍둥이

	체질량지수	총 체중 증가(kg)	중기 말기 체중 증가
☐	18.5~24.9(보통)	16~24	0.7 kg / 주 (2.7~3 kg/월)
☐	25~29.9(과체중)	14~22	0.6 kg / 주 (2.3~2.5 kg/월)
☐	≥30.0(비만)	11~19	0.5 kg / 주 (1.8~2 kg/월)

☆ 임당생활 꿀팁

TIP

임신 생활관리 팁

임신 전 비만, 임신성 당뇨병이라 해서 무조건적인 체중 감량은 위험해요! 임신기간 적정 체중 증가량에 맞게 체중이 늘어나는 것을 권장해요.

임신 15주부터는 분만 시점까지 일주일에 **0.25 kg~0.3 kg**씩 증가하는 것이 바람직하고 **고도비만 임신부(BMI ≥30)**는 일주일에 그 절반의 체중 증가(**0.1~0.18 kg/주**)가 바람직해요.

비만도에 따른 엄마의 적정 체중 증가를 확인한 후, 빈칸에 나의 수치를 기록해 보세요!

나의 현재 체중은	( ) kg
(임신 전) 나의 비만도는	( ) kg/㎡
(임신 전) 나의 비만도에 따른 임신 기간 중, 총 적정 체중 증가량은?	+ ( ) kg
(임신 전) 나의 비만도에 따른 임신 중기&말기의 일주일간 적정 체중	+ ( ) kg/주

STEP. 04　도움받기

04 ── 정기적인 체중 확인

임신 중기를 지나 후기로 진행할수록
체중 증가 속도가 빨라집니다.

하지만 급격한 체중 증가는 엄마와 아가에게
위험하기에 체중 확인을 자주 해줘야 해요.

체중 증가의 변화를 확인하기 위해서는
아침에 체중을 측정하는 것이 정확해요.

임신 기간 적정 체중 증가량을 기준으로 체중이
얼마큼 늘어나야 정상인지 알아본 후 작업해야 합니다.

최소 일주일에 한 번은 체중을 확인하면서
주수별 적절한 체중 증가를 관리해 주세요!

04 정기적인 체중 확인은 엄마와 아가에 건강을 더해줍니다

일주일에 한번 체중을 확인하며 주수별 적절한 체중 변화를 유지해 주세요.

	현재 (21.00.00)	1주 후 (21.00.00)	2주 후 (21.00.00)	3주 후 (21.00.00)
체중	___ kg	___ kg	___ kg	___ kg
적정 체중 증가량	- kg	___ kg	___ kg	___ kg

4주 후 (21.00.00)	5주 후 (21.00.00)	6주 후 (21.00.00)	7주 후 (21.00.00)	8주 후 (21.00.00)
___ kg	___ kg	___ kg	___ kg	___ kg
___ kg	___ kg	___ kg	___ kg	___ kg

9주 후 (21.00.00)	10주 후 (21.00.00)	12주 후 (21.00.00)	13주 후 (21.00.00)	14주 후 (21.00.00)
___ kg	___ kg	___ kg	___ kg	___ kg
___ kg	___ kg	___ kg	___ kg	___ kg

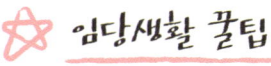

임당생활 꿀팁

TIP

임신성 당뇨관리 팁

식단 관리를 시작한 경우, 처음 일주일간은 약간의 체중 감소를 경험할 수 있지만 위험하지는 않아요.

그러나 적어도 10일 안에 적절한 체중 증가가 다시 시작되어야 해요.

그 후에도 체중이 증가하지 않거나 감소한다면 반드시 주치의와 상의해 주세요!

너무나 중요한 엄마의 체중 확인, 잊지 않고 챙기는 방법을 소개해 드릴게요!

배 속 아가의 성장을 확인할 때마다, **엄마의 현재 체중도 확인해 보세요!**

매일 아침 눈뜨면 바로 체중을 측정하면서 하루를 시작해 보세요!

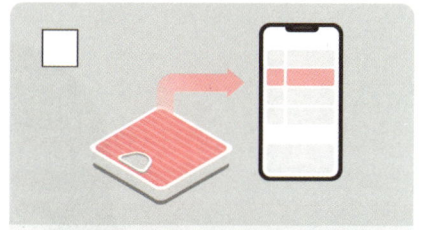

스마트 체중계를 사용해서 편리하게 체중을 핸드폰에 기록해 보세요!

일주일마다 체중을 기록하면서 안전하게 체중을 증가시키겠어요?

☐ 네! 일주일에 한 번 체중을 확인할게요!   ☐ 아니요! 병원에 갈 때만 체중을 확인할게요!

STEP. 05   미션 도전하기

05 ── 체중관리를 위한 실천행동

임신 중 식욕이 증가해서 필요 이상 섭취하면 과도하게
체중이 증가할 수 있고, 입덧 등의 식욕 저하로 식사량이
감소하면 정상 범위 미만으로 체중이 감소할 수 있어요.

임신 기간 동안 바람직한 영양 섭취를 통해
체중을 조절하는 것이 중요합니다.
매끼 단백질과 채소를 충분히 섭취하고,
밥은 1/2 공기 ~ 1 공기 정도만 드세요.

만약 아침 식후 고혈당이 자주 있다면
밥의 양은 1/2 공기가 적당합니다.

엄마와 아가의 적정한 체중 증가를 위한 노력을
오늘부터 바로 실천해 볼까요?

05 건강한 체중조절을 위한 **실천행동을 소개할게요!**

**건강한 영양섭취는 건강한 체중조절을 약속해요!
당장 시도해 볼 수 있는 건강한 영양섭취 방법에 체크해 보세요!**

탄수화물 적당히 섭취하기!

혈당조절을 위해 탄수화물을 적당량만 섭취해 주세요

아침 탄수화물 줄이기!

밥 1/2 공기 또는 식빵 1.5장 정도만 섭취해 주세요(아침 식후 고혈당 경향)

단순당 제한하기!

설탕, 시럽, 초콜릿 등의 단 음식 섭취를 주의해 주세요

단백질 & 채소 골고루 먹기!

태아 성장에 필요하고, 변비를 예방하며, 포만감을 증가시켜줘요

식후 2시간 뒤 간식 먹기!

과일 1주먹 또는 유제품 1잔을 간식으로 섭취해 주세요

취침 전 간식 섭취하기!

밤사이 저혈당 및 케톤산증을 예방해요

건강한 영양섭취 방법을 모두 실천한다면, 체중관리 걱정 없어요!

엄마의 체중을 적절하게 증가시키는 방법을 실천해 보세요!

- ☐ 엄마의 적정 체중증가량 알아보기
- ☐ 최소 1주일에 한 번은 체중 변화 확인하기
- ☐ 매일 자가 혈당 측정하기
- ☐ 매일 식후 운동하기
- ☐ 매 끼니 건강하게 먹기 위해 노력하기
- ☐ 체중 변화를 꾸준히 기록하고, 관찰하기

처음임당 커리큘럼

DAY 08
혈당 스파이크 예방, 식후 걷기

Mission 식후 20분 산책하기

적절한 운동은 임당 관리에서 꼭 필요합니다.
무리하지 않는 선에서 꾸준히 운동을 하면 허리 통증, 부종, 변비, 불면증 등을 줄여주는 것과 동시에 출산 후 건강의 밑거름이 돼요.
그럼에도 운동에 어려움을 느끼는 분들도 계실 텐데요.
오늘은 혈당 조절에 도움을 주는 쉬운 운동을 추천드리겠습니다.

STEP. 01 평가하기

01 —— 식사 후 나의 모습

임당 산모는 먹는 것도, 움직이는 것도
조심스러울 수밖에 없습니다.

특히 혈당 관리에 신경을 써야 해서
식후 혈당이 많이 오르면 근심과 걱정이 몰려오고,
엄마와 아가의 건강에도 문제가 될 수 있는데요.

식사 후 간단히 움직이는 것만으로도
치솟는 혈당 고민을 해결할 수 있어요.

평소에 식사 후에 몸을 움직이는 편인가요?

오늘은 식후 혈당을 안정시킬 수 있는 방법에 대해
알아볼게요.

01 식사 후
나의 모습을 떠올려 보세요

식사 후 나는 어떤 생활 패턴을 유지하는 편인가요?

☐ 식사 후 여유롭게 쉬는 걸 즐겨요   ☐ 식사 후 여기저기 활동량이 많은 편이에요

평소 점심 식사를 마치면

나른하고, 피로가 몰려와서 누워서 쉬는 편이에요.	☐
바로 오후 업무를 시작하는 편이에요.	☐
남은 점심시간에 인터넷 쇼핑을 하거나, 스마트폰을 사용해요.	☐
보통 차를 마시면서 앉아있는 편이에요.	☐
식사 후에는 디저트를 먹으러 갈 때가 종종 있어요.	☐
식사하면서 시청하던 동영상이나 TV를 식사를 마치고도 계속 보게 돼요.	☐
식사를 마치면 소화를 시키려고 좀 걷는 편이에요.	☐

식사 후 혈당 개선과 소화에 도움이 되는 신체활동 중, 당장 실천해 볼 만한 것을 체크해 보세요!

식사 끝내고 바로 식탁을 정리하며 움직이기	☐
식사 후 동네 마트에 장을 보러 가거나, 은행 등 볼일을 보러 나가기	☐
점심 식사 후 남은 식사 시간에 동료들과 산책하며 이야기하기	☐
식사 후에 아이와 놀아 주기	☐
식사 후에는 조금 멀리 있는 분위기 좋은 카페에 가기	☐
식사 후에 밀린 집안일과 청소하기	☐

STEP. 02 **조언 받기**

02 ─── 걷기, 최적의 시간은

임당 관리에서 가장 중요한 것 중 하나는
혈당이 안정적으로 유지되도록 관리하는 것입니다.
특히 식후 혈당이 급격히 오르내리는 현상인
'혈당 스파이크'를 조심해야 하는데요.

혈당 스파이크는 췌장에 무리를 주고,
피로감을 줘서 임당 산모를 힘들게 할 수 있어요.

식후에 급변하는 혈당으로부터 엄마와 아가를
안전하게 지키는 방법은 식후 걷기인데요.

매끼 마다 식후에 10분 걷기를 할 경우
평균 혈당과 저녁 식후 혈당이 감소하는 효과가 있어요.
즉, 식후 10분 걷기만으로도 혈당 관리에 도움이 돼요.

02 혈당 스파이크 잡는 식후 걷기, **최적의 시간대는?**

식사 후 혈당 스파이크를 주의해야 하는 이유는 무엇일까요?

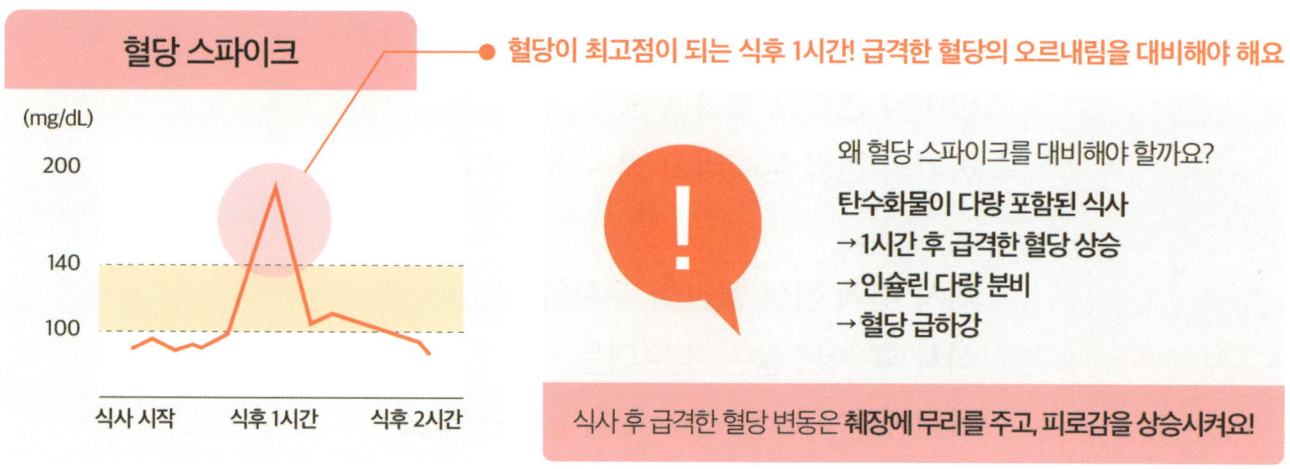

혈당 스파이크 예방에 효과적인 걷기 시간은 언제일까요?

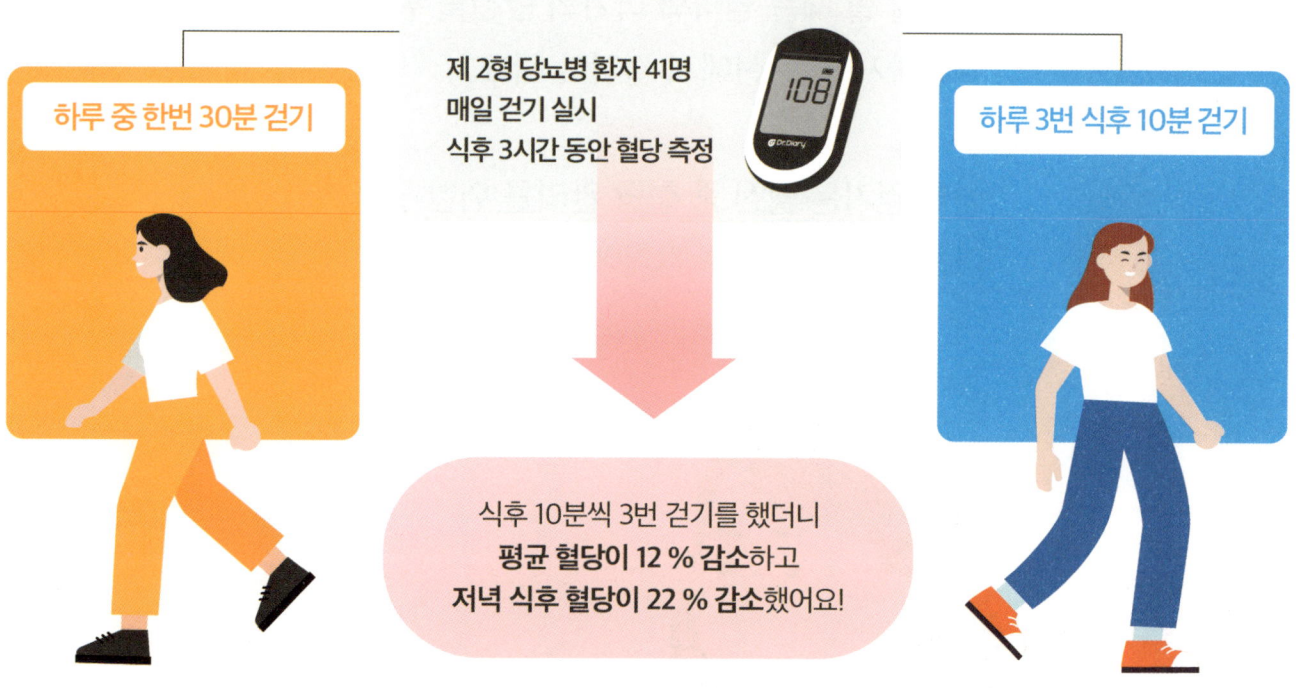

식후마다 걸었을 때, 혈당 개선을 확인해 보셨나요? 앞으로 식후 걷기에 동참해 주세요!

☐ 오늘부터 식후 걷기 시작할래요   ☐ 아직은 바빠서 나중에 시작할래요

STEP. 03 목표 설정하기

03 ── 하루 3번 식사 후, 걷기

엄마의 건강한 혈당 수치는
아가의 건강 점수라고 볼 수 있습니다.

식사 후에 정상 혈당을 유지하려면
식사 후 바로 눕는 것보다는
가볍게 움직이는 것이 도움이 되는데요.
20분 정도 가볍게 산책하기를 추천드리고 싶어요.

산책을 할 때는 엄마와 아가의 안전을 위해
무리하지 않는 선에서 걸어야 해요.

식후 걷기는 임신 중 혈당 관리를 위한 필수 습관이니,
다음 식사부터 식후 걷기에 도전해 보면 어때요?

03 식후 혈당 스파이크 예방을 위해
하루 3번 '식후 20분 산책하기'를 추천드립니다!

건강한 혈당을 지키기 위해 식후 20분 산책에 도전해 보세요

24주 전, 후 임당 산모	하루 한 시간 걷기	혈당 감소 효과 탁월

  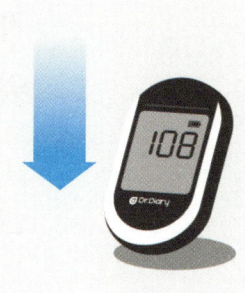

하루 3끼 필수, 그리고 식후 나눠 걷기 → '식후 20분씩, 하루 3번 산책하기'를 추천드려요

잠깐! 무엇보다 중요한 건 **무리하지 않는 걸음 속도로 안전하게 걷는 것**이 가장 중요해요!

- 철저한 식사 관리 25%
- 매일 혈당 관리 25%
- 꾸준한 운동 관리 25%
- 적절한 체중 관리 25%
- 임당 관리 100% 성공 달성

꾸준히 식후 20분 걷기를 실천해 주세요.

임당 관리 성공을 위한 필수조건! '하루 3번, 식후 20분 걷기' 마음의 준비는 100점 만점에 몇 점인가요?

식후 걷기 마음 준비 점수는 (　　　) 점이에요!

처음임당 2주차　43

STEP. 04   도움받기

04 —— 식후 산책 유의 사항

가볍게 걷는 산책도 유의 사항을 지키지 않으면
위험한 상황이 초래될 수 있습니다.

산책 전에 간단히 스트레칭을 해주세요.

산책 중에 컨디션이 떨어지거나 어지럽거나
복부 통증이 느껴지면 바로 휴식을 취해주세요.

혈당 관리도 중요하지만, 너무 무리한 관리는
엄마와 아가를 위해 피해야 해요.

이처럼 산책 중 유의 사항을 확인한다면,
아가와 함께 건강하고 안전하게 산책할 수 있어요!

04 엄마와 아가의 행복하고 안전한 산책을 위해
식후 산책 전 유의 사항을 살펴보세요!

잠깐! 식후 산책 전 주의 사항 살펴보아요.

걷기 전, 간단히 스트레칭을 해주세요 ☐

가벼운 준비운동은 몸의 긴장을 풀어줘요.
운동 전 5분 스트레칭을 해주세요

걸으면서 마실 물을 챙겨주세요 ☐

걷는 동안에도 발생할 수 있는 탈수 예방을 위해
수분 보충이 필요해요. 중간중간 물을 챙겨주세요

편안한 복장을 준비해 주세요 ☐

통풍이 잘되는, 신축성 있는 편한 옷과
쿠션이 있는 편한 운동화를 신고 걸어주세요.

산책 코스를 확인해 주세요 ☐

임신 중 균형감각 저하로 오르막길이나, 평평하지 않은 길은
위험할 수 있어요. 평탄하고 익숙한 코스로 산책해 주세요.

바깥 날씨를 확인해 주세요 ☐

산책하기에 춥고 더울 경우, 무리하지 말고 집에서 제자리
걷기나 간단한 활동을 하세요.

식사 후 여유롭게 쉬는 것을 즐겨보세요 ☐

숨차거나, 어지러움, 식은땀 등
컨디션이 좋지 않을 땐 휴식이 먼저예요.

☆ 임당생활 꿀팁

TIP

대화 검사(talk test)법

안전한 걷기 속도 확인을
위한 방법이에요.

걸으면서 자연스럽게
대화를 유지할 수 있는
속도가 적당해요!

숨이 차서 대화하기가
힘들면 즉시, 걷기 속도를
낮추어야 해요.

유의 사항을 확인하셨다면,
엄마와 아가의 안전한 식후
데이트를 시작해 보세요!

유의 사항을 확인하셨다면, 엄마와 아가의 안전한 식후 데이트 시작해 보세요!

> **STEP. 05** 미션 도전하기

05 —— 식후 걷기 20분 실천

바쁜 일상에서 20분 걷기가 어려울 수 있지만,
잘 찾아보면 틈새 시간이 있을 거예요.

점심 식사 후 지인들과 티타임 시간을 가질 겸
조금 먼 거리의 카페에 방문하면 20분 걸을 수 있어요.

아이를 키우고 있다면, 더 열심히 아이랑 놀아주세요.
저절로 20분 이상 걷게 될 거예요.

한 번에 20분 걷기가 어렵다면,
하루 2,000보 걷기를 목표로 세워보세요.
시간 목표보다 걸음 수 목표 달성이 더 쉽게 느껴져요.

식후 걷기는 혈당 개선에 분명 도움이 돼요.

05 안전한 혈당곡선을 위해
생활 속에서 식후 20분 걷기를 실천해 보세요

바쁜 일상이지만 나만의 식후 걷기 방법을 찾아보세요

걷기 효과, 금방 나타날까요? → **YES** → 식후 걷기 효과가 오래 걸릴 것 같아 걱정되세요? 오늘 바로 식후 걷기 후 건강해진 혈당 수치를 확인해 보세요

출퇴근으로 바쁜데 저녁에만 걸어도 될까요? → **YES** → 오늘부터 하루 한 번 걷기부터 시작해 보세요 차차 시간과 방법을 확보하여 횟수를 늘려주세요

회사 점심 식사 후 주로 카페에 가는데 걷기가 가능할까요? → **YES** → 식사 후 테이크 아웃 차 한 잔과 산책 어떠세요? 한 블록 떨어진 카페에 걸어가는 시간도 식후 산책이 된답니다

큰아이 육아로 정말 시간이 없는데 관리가 될까요? → **YES** → 아이와 함께 율동, 제자리 걷기 등으로 집안에서 식후 활동량을 유지해 보세요

식후마다 2,000보 걷기에도 도전해 보세요

- 스마트폰을 활용해서 2,000보 걸음 수를 확인해 보세요! ☐
- 식사를 시작할 때, 1시간 후 알람을 설정해 보세요! ☐
- 식사를 계획할 때, 식후 걷기도 함께 계획해 보세요! ☐

오늘은 **'아가와 함께 식후 20분 산책하기'** 를 성공하기 위한 알찬 계획을 세워보세요!

식사	장소	걷기 예상 시간
아침	출근길에서	15분
점심	회사 테라스	30분
저녁	집 근처 공원	20분

처음임당 2주차

처음임당 커리큘럼

DAY 09
엄마의 마음, 식이섬유 챙김

Mission 식이섬유 챙기기

지금은 엄마와 아가의 건강을 위해 정상 혈당을
유지하는 것이 너무나 중요한 시기인데요.
당질 섭취는 줄이고 식이섬유는 충분히 섭취하는 것은
혈당 안정화에 도움이 됩니다. 오늘은 식사에서 식이섬유를
더하는 간단한 방법에 대해 알려드리겠습니다.

STEP. 01 평가하기

01 ─ 식이섬유 섭취

식이섬유는 당뇨병, 대장암, 비만 및 변비를 예방하고,
혈당 개선에 도움을 주기 때문에 임당 관리를 위해
반드시 챙겨 먹어야 하는 영양소입니다.

6대 영양소로 불리는 식이섬유는
채소, 과일, 잡곡, 콩류, 해조류 등에 많이 들어 있어요.

식이섬유를 충분히 섭취하기 위해서는
매끼 나물, 생채, 쌈 등을 2가지 이상 섭취해야 해요.

오늘은 평소 식이섬유가 적은 탄수화물 음식을
자주 섭취하지는 않았는지 확인하는 시간을 가져보세요.

01 평소 식이섬유가 부족한 음식을 **섭취하지는 않나요?**

식이섬유가 적은 탄수화물 음식들 중에서 평소 자주 먹었던 음식이 있다면 체크해 보세요

- ☐ 흰쌀밥 
- ☐ 국수 
- ☐ 흰 빵 
- ☐ 사탕, 초콜릿 
- ☐ 분식류 
- ☐ 주스 
- ☐ 과자 
- ☐ 떡 
- ☐ 케이크

제 6의 영양소 식이섬유에 대해 공부해 보아요

식이섬유 : 몸에 흡수되지 않지만 몸속의 나쁜 물질을 몸 밖으로 배출해냄

6대 영양소	식이섬유
5대 영양소	비타민, 미네랄
3대 영양소	단백질, 지방, 탄수화물

STEP. 02 조언 받기

02 ── 식이섬유 섭취 효과

식이섬유를 충분히 섭취하면 혈당 개선에 도움이 됩니다.

위장에서는 음식물을 천천히 통과시켜 포만감을 주고,
소장에서는 소화를 지연시켜 혈당을 완만하게 상승시키며,
대장에서는 원활한 배변 활동에 도움이 됩니다.

식이섬유가 부족할 경우에는 속이 자주 더부룩하며,
대변이 딱딱해져 변비가 생길 수 있어요.

임신 기간의 변비는 엄마와 아가에게 곤혹인데요.
식사에서 식이섬유를 챙기기 위한 노력이 필요하겠죠?

02 혈당 개선에 도움이 되는
식이섬유의 효과에 대해 알아보아요

식이섬유 섭취 효과

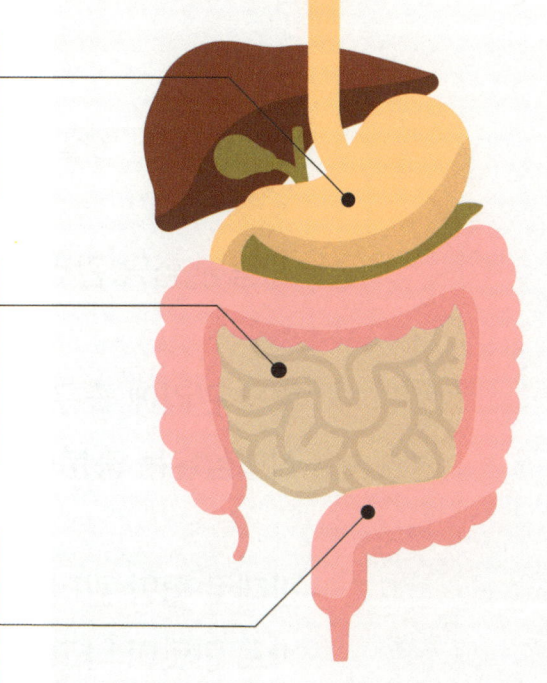

위장
식이섬유 多
→ 음식물 천천히 통과
→ 포만감 증가
→ 식사량 조절에 도움

소장
식이섬유 多
→ 음식물 소화 지연
→ 혈당 천천히 상승
→ 인슐린 천천히 분비
→ 완만한 혈당 변화

대장
식이섬유 多
→ 장내 유익균의 먹이: 유익균 수 증가에 도움
→ 장내 환경 개선
→ 원활한 배변 활동에 도움

! 식이섬유 섭취가 부족하면 생길 수 있는 몸의 신호들

속이 자주 더부룩해요	식이섬유 섭취가 부족하면 대장운동이 둔해져 배가 차는 불편함을 느껴요
대변이 딱딱해요	식이섬유 섭취가 부족하면 대변이 딱딱해져요
밥 먹고 나서 한 시간도 안 돼서 금방 배고파요	장내에서 팽창하여 포만감을 주는 식이섬유 섭취가 부족하면 금방 허기를 느껴요
식사하고 나서 많이 졸리고 나른해요	식이섬유 섭취가 부족하면 혈당이 급격히 오르고 내려 무기력해져요

① 혈당조절 개선
② 포만감으로 식사량 조절
③ 변비 개선
④ 소화 운동 개선

식이섬유 다다익선

섭취 후 혈당 조절 및 소화과정에 도움을 주는 **식이섬유**, 오늘부터 챙기실까요?

☐ 네, 지금 바로 챙겨 볼게요
☐ 나중에 천천히 챙겨 볼게요

STEP. 03 목표 설정하기

03 —— 식이섬유 먼저 챙기기

탄수화물은 '당질'과 '식이섬유'를 총칭하는 용어입니다.

이 중에 혈당 관리에 방해가 되는 범인은 '당질'인데요.

혈당 관리에 좋은 탄수화물은 당질은 적고,
식이섬유는 충분한 탄수화물입니다.

반대로 혈당 관리에 나쁜 탄수화물은 먹으면
바로 단맛이 나고, 식이섬유 함량은 적습니다.

매끼 식사를 할 때 식이섬유가 많은 탄수화물을
우선순위로 선택하는 것이 혈당 관리의 핵심 습관이에요.

03 혈당 챙김 핵심 습관으로 '식사에서 식이섬유 챙기기'를 추천드립니다!

식이섬유 챙기기 위한 방법으로 좋은 탄수화물 알아볼까요?

나쁜 탄수화물	좋은 탄수화물
혈당을 올리는 **당질이 많은 탄수화물**	혈당을 천천히 올리는 **식이섬유가 많은 탄수화물**

나의 식사에서 풍부한 식이섬유를 챙기기 위해

나쁜 탄수화물
( )
( )
섭취를 줄일게요!

좋은 탄수화물
( )
( )
섭취를 늘릴게요!

STEP. 04 　도움받기

04 —— 식이섬유 챙기는 요령

일상에서 식이섬유를 챙기는
쉬운 방법들을 확인해 보세요.

평소 식사 때마다 채소 반찬을
넉넉히 챙기는 방법도 좋아요.

그리고 식사 시간 외에도
식이섬유를 가까이 두고 챙기는 습관도
자연스레 식이섬유 섭취를 늘리는 방법이 될 수 있어요.

나의 생활패턴에 맞는 다양한 방법을 시도하여
혈당 건강에 도움이 되는 식이섬유를 챙겨보세요.

04 평소에 식이섬유 챙기는 **식사요령 추천드려요**

식이섬유 챙기기 어렵지 않아요

식이섬유 가득한 쌈채소로 식이섬유 챙겨볼까요?

MISSION
채소쌈 2장에 고기와 각종 채소를 넣어서 드세요!

☐ 좋아요   ☐ 싫어요

각종 채소 가득한 국 건더기로 식이섬유 챙겨볼까요?

MISSION
젓가락으로 국 건더기를 양껏 드세요!

☐ 좋아요   ☐ 싫어요

식사 외 간식으로도 식이섬유 챙겨볼까요?

MISSION
식탁 위, 탁자 위 등 손 닿기 쉬운 곳에 야채 스틱과 견과류를 놓고 드세요!

☐ 좋아요   ☐ 싫어요

과일주스보다 생과일로 식이섬유 챙겨볼까요?

MISSION
식이섬유가 적고 설탕 가득한 주스로 마시기보다 생과일 그대로 씹어 드세요!

☐ 좋아요   ☐ 싫어요

고기 구워 먹을 때 식이섬유 챙겨볼까요?

MISSION
고기 옆에 가지, 버섯, 양파 등 구우면 더 맛있는 구운 채소도 같이 드세요!

☐ 좋아요   ☐ 싫어요

여러 가지 색깔 채소과일로 식이섬유 챙겨볼까요?

MISSION
하루에 혹은 끼니에 3가지 이상 다양한 색깔의 음식을 드세요!

☐ 좋아요   ☐ 싫어요

처음임당 2주차

STEP. 05   미션 도전하기

05 ── 식이섬유 가득 식품들

그동안 나도 모르게 자주 먹었던 당질 가득
탄수화물 식품 때문에 힘들었을 우리 몸에
건강한 식이섬유를 더 많이 챙겨주세요.

일상생활에서 식사와 간식으로
자주 이용할 수 있는 식이섬유 가득한 식품들을
확인해 보시고, 좋아하는 식품들 위주로
장을 보면 맛있게 식이섬유를 챙길 수 있겠지요?

현미, 보리, 잡곡류 등을 주식으로 하며
콩류, 채소 및 과일, 해조류, 버섯류 등
다양한 식이섬유를 함유한 자연식품을
골고루 섭취하는 것이 혈당관리의 해법이랍니다.

혈당을 낮추는 식이섬유가 풍부한 식품들을 소개할게요!

오늘 하루 식이섬유 더하기에 자주 사용해보고 싶은 것에 체크해 보세요!

*식품 100 g 당 식이섬유 함량

과일	곡물	견과	채소
배 3.1 g	귀리 10.6 g	아몬드 12.5 g	김 3.4 g
오렌지 1.9 g	보리 14 g	땅콩 9 g	상추 2 g
사과 1.5 g	메밀 10.9 g	캐슈넛 6.7 g	미역 4.75 g
딸기 1.55 g	기장 4.6 g	피스타치오 10 g	브로콜리 2.9 g
자몽 1.1 g	차조 5.1 g	피칸 9.4 g	다시마 3.18 g
토마토 0.7 g	호밀빵 5.6 g	마카다미아 6.2 g	파래 4.6 g

임당생활 꿀팁

TIP

1. 건강을 위한 하루 과일 섭취량은 주먹 크기 1~2개에요.
2. 건강을 위한 하루 견과류 섭취량은 1~2줌 이에요.

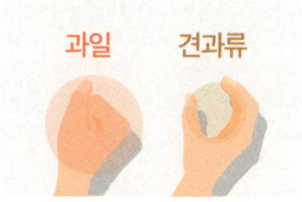

과일 　 견과류

오늘 하루 충분한 식이섬유 더하기 위해

곡물은 ☐

채소는 ☐

과일은 ☐

견과류는 ☐

섭취할게요!

처음임당 2주차

처음임당 커리큘럼

DAY 10
혈당의 주적, Smart 당질 관리

Mission 당지수 활용하기

안정적인 혈당을 유지하기 위해 매일 노력하실 텐데요.
다양한 식품들마다 혈당을 올리는 속도와 폭이 다릅니다.
같은 양의 음식을 먹더라도 혈당이 덜 올라가는 음식이
있다면 선택해야겠지요? 오늘은 혈당 수치 변화의 객관적인
지표인 당지수(Glycemic index)에 대해 알려드리겠습니다.

STEP. 01　평가하기

01 —— 평소 식사관리

주식으로 적정량의 잡곡밥과 함께
충분한 채소와 필요한 양의 단백질 섭취는
혈당 관리 식사의 기본입니다.

같은 양의 음식을 먹고 혈당을 측정해도
사람마다 혈당 수치가 다를 수 있어요.

다양한 음식을 먹고 난 후의 혈당 수치를
자주 확인하면서 고혈당 유발 음식을
알아내는 것이 중요합니다.

오늘은 혈당 관리를 위해
건강한 식단으로 잘 챙겨 먹고 있는지
되돌아보는 시간을 가져보세요.

01 요즘 안정적인 혈당 관리를 위해
매끼 건강한 식사를 챙겨 먹고 있나요?

저는 요즘 건강한 혈당 관리를 위해

체크하지 않은 항목은 개선이 필요한 식습관이에요!

- 쌀밥 대신 잡곡밥을 먹어요. ☐
- 식사 때마다 채소 반찬을 충분히 먹어요. ☐
- 식사 때마다 단백질 반찬을 챙겨 먹어요. ☐
- 과일주스 대신 생과일을 챙겨 먹어요. ☐
- 아이스크림, 사탕, 초콜릿 등의 당이 많은 음식은 피해요. ☐
- 배고플 때 간식으로 견과류를 챙겨 먹어요. ☐
- 식사를 천천히 먹으려고 노력해요. ☐

만약 혈당을 천천히 올리는 식품과 식사 방법이 있다면

- 바로 알아보고 혈당을 천천히 올리는 식품으로 식사하고 싶어요 ☐
- 그냥 모든 식품을 조금만 먹으면 될 것 같아요 ☐
- 굳이 신경 쓰지 않고 평소대로 식사하겠어요 ☐
- 나중에 천천히 알아볼래요 ☐

자가 혈당 측정법을 확인해 주세요!

1. 손 씻기　2. 스트립 삽입　3. 채혈　4. 혈액 주입　5. 측정 결과

혈당 측정 습관은 선택이 아닌, 필수라는 사실! 고혈당 유발 식품을 알면, 혈당 관리가 쉬워져요!

STEP. 02　**조언 받기**

02 ── 당지수와 혈당

당지수는 음식을 섭취하고 혈당이 체내에
흡수되는 속도를 나타낸 수치입니다.

즉, 어떤 식품이 혈당을 얼마나 빠르게
올리는지 식품들마다 비교한 값이에요.

고당지수 음식은 당지수 70 이상으로
먹으면 빨리 단맛이 나고 혈당을 급상승시켜요.
쌀밥, 흰 밀가루 빵, 사탕, 도넛 등이 해당합니다.

저당지수 음식은 당지수 55 이하로,
오래 씹어야 단맛이 나고, 혈당을 천천히 올려요.
채소, 견과류, 해조류 등이 해당합니다.

02 혈당 오르는 속도 = '당지수'
당지수에 따른 혈당 변화를 살펴보세요

다양한 식품의 당지수에 따른 혈당 변화를 알아볼게요!

* 출처 : 보건복지부

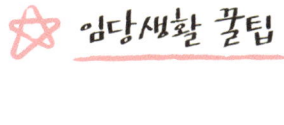 **임당생활 꿀팁**

TIP

당지수
(GI, glycemic index)란

음식 섭취 후 혈당이 몸속에 흡수되는 속도를 나타낸 수치에요

당지수가 높은 음식은 혈당을 빠르게 올리고, 당지수가 낮은 음식은 혈당을 천천히 올려요.

임당 산모들이 저당지수 식사를 하고 난 후의 결과를 확인해 보세요!

임신성당뇨 산모들이
임신 24~32주 사이에 저당지수 식사를 하니

공복 혈당, 식후 2시간
혈당이 개선되었어요

당지수가 낮은 음식 위주로 선택해 볼까요?

☐ 네! 천천히 혈당을 올리는 저당지수 음식을 꼭꼭 씹어 단맛을 느껴볼게요!

☐ 아니요! 혈당을 빨리 올리는 단맛을 저는 포기할 수 없어요!

STEP. 03 목표 설정하기

03 —— 당지수 활용하기

당지수를 활용해서 혈당을 덜 올리거나
안 올리는 식품을 활용하면 혈당 관리가 쉬워집니다.

당지수가 낮은 채소류와 해조류는 혈당에 미치는
영향이 적어서 충분히 많이 섭취해도 괜찮아요.

달지 않은 보리차, 둥굴레차 등은 저당지수 음료로
충분히 마셔도 혈당 걱정 없어요.

대체 감미료도 혈당을 덜 올리기 때문에 설탕 대신
선택할 수 있어요. 하지만 과잉 섭취 시 소화 불량,
복통을 유발할 수 있으니 소량만 사용해 주세요.

생각보다 자유롭게 섭취할 수 있는 식품들이 많지요?

03 슬기로운 혈당 관리를 위해 '당지수 활용하기'를 강력히 추천드립니다!

자유롭게 섭취할 수 있는 당지수가 낮은 식품들을 확인해 보세요!

채소류
대부분의 채소는 자유롭게 선택해도 좋아요
* 단호박, 당근, 연근, 우엉 등은
  당질이 꽤 많으니
  다량 섭취는 피해주세요!

해조류
곤약, 김, 미역, 파래, 다시마, 우무, 한천 등은
식이섬유가 많은 추천 식품이에요.

음료류
보리 차, 둥굴레차 같이
달지 않은 차는 자유롭게 드셔도 좋아요.
단 음료가 당길 때는
제로 음료(콜라, 사이다)를 선택해 주세요!

대체 감미료
스테비아, 알룰로스, 아스파탐, 자일리톨 등은
혈당을 올리지 않기 때문에
소량 사용해도 괜찮아요.

혈당을 덜 올리거나 안 올리는 식품들

천천히 소화 흡수 → 천천히 혈당 상승 → 넉넉한 포만감 → 혈당 감소 체중 감량

자유롭게 섭취할 수 있는 식품들, 활용해 보시겠어요?

- **채소류** — 네, 식사 때 반찬으로 충분히 먹겠어요 ☐
- **음료류** — 네, 음료수 생각날 때 달지 않은 차, 제로 음료를 마시겠어요 ☐
- **해조류** — 네, 식사 때 구운 김, 미역국, 우뭇국, 곤약면을 자주 이용할게요 ☐
- **대체감미료** — 네, 달콤한 맛이 마구 당길 때, 대체 감미료를 사용하겠어요 ☐

앞으로 '당지수 활용하기'를 실천할 마음의 준비는 100점 만점에 몇 점인가요?

당지수가 낮은 음식을 활용할 마음 준비 점수는 (   ) 점이에요!

STEP. 04 도움받기

04 —— 고당지수 음식 대처하기

집에서의 식사는 저당지수 음식으로 챙겨 먹지만,
외식 상황에서는 고당지수 음식을 만나게 됩니다.

고당지수 음식이라고 무조건 피하지 말고,
혈당을 덜 올릴 수 있는 방법을 시도해 보면 어떨까요?

흰쌀밥을 마주한다면 평소보다 밥을 두 숟가락 덜 먹고,
채소와 단백질 반찬을 더 많이 먹으면 좋은 선택이에요.

스트레스로 단 음료가 생각나면
라떼 한 잔에 설탕 대신 대체 감미료를 넣어보세요.

만약 고당지수 음식을 어쩔 수 없이 먹었다면
가벼운 산책으로 혈당을 떨어뜨릴 수 있어요.

04 고당지수 음식을 마주하는 상황 속 대처 방법을 알아보아요!

어쩔 수 없는 상황에서 고당지수 음식을 마주해야 한다면

구내식당에서 흰쌀밥만 나와요

식사에 쌀밥만 나온다면

평소보다 밥 두 숟가락만 덜 먹어보세요

① 평소보다 밥의 섭취량을 줄일게요

모임에서 다과를 권해요

달콤한 고당지수 과일이 준비되어 있다면

작게 한 입 깨물어 천천히 오래 씹어보세요

② 오랫동안 천천히 씹어 먹겠어요

매번 회의 때 음료가 준비되어 있어요

회의실 탁자 위에 여러 음료가 가득하다면

티백 맑은 차를 선택해 보세요

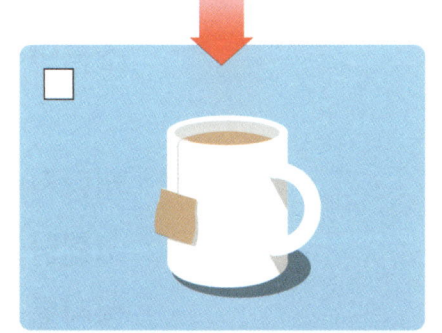

③ 달지 않은 차를 선택해서 마실게요

스트레스로 간식을 먹고 싶어요

몸과 마음이 힘들어 달콤한 음료가 너무 생각난다면

카페 라테 한 잔에 대체 감미료로 달콤 한 숟갈 더해보세요

④ 대체 감미료를 사용해서 단맛을 낼게요

빵, 과자를 먹었어요

간식으로 빵과 과자를 먹었다면,

기분 전환 겸 산책을 해보세요!

⑤ 평소보다 더 걸어보겠어요

외식으로 국수를 먹었어요

일행과 국수를 먹게 된다면

주문할 때 면은 절반만 달라고 하고, 고명으로 나오는 김가루, 달걀지단, 겉절이 등의 단백질과 채소 반찬을 먼저 드세요!

⑥ 면은 1/2인분만 먹고, 단백질, 채소를 먼저 먹겠어요

STEP. 05 **미션 도전하기**

05 ── 당지수 낮추는 방법

당지수가 낮은 음식을 골고루 섭취하면
혈당 개선에 많은 도움이 됩니다.

고당지수 식품은 되도록 피하고, 만약 먹게 되면
조금만 천천히 섭취하고, 대신 신체활동을 늘려보세요.

저당지수 식품일지라도 과식할 경우
고혈당을 유발할 수 있으니 포만감이 들면
식사를 멈추려는 노력이 필요해요.

'당지수를 낮추는 조리 방법'을 활용하면
혈당 관리를 더 적극적으로 할 수 있어요.
당지수 낮추는 다양한 방법을 활용해서
엄마와 아가를 위한 더 건강한 식사를 준비해 볼까요?

05 당지수 낮추는 실천 요령, **함께 하세요**

저혈당지수 식이요법에 도전해 주세요

- 정제된 흰쌀밥, 흰 빵과 같은 식품은 되도록 피하고, 통곡물 위주로 챙겨 먹기 ☐
- 아이스크림, 주스 같은 고당 식품은 피하기 ☐
- 과일은 주스나 즙 형태 대신 생으로 껍질째 먹기 ☐
- 지방이 적은 살코기, 껍질 벗긴 닭고기, 생선류, 콩류로 단백질 챙겨 먹기 ☐
- 불포화지방 섭취를 위해 들기름, 올리브오일, 견과류 등을 챙겨 먹기 ☐
- 포화지방이 든 가공육류(햄, 소시지), 패스트푸드, 인스턴트식품은 자제하기 ☐
- 음식은 천천히 섭취하며 포만감이 들면 식사를 멈추기 ☐
- 매끼 식사에서 식이섬유 풍부한 채소 함께 먹기 ☐

당지수를 낮추는 조리 방법을 추천드려요

식품 가열시간이 짧을수록	요리에 사용하는 물이 적을수록	조리 시 가해지는 압력이 약할수록	요리에 레몬즙, 식초 같은 산성 성분이 첨가될수록
당질이 천천히 소화되고 천천히 흡수돼요	당질 입자가 덜 부풀어 천천히 소화, 흡수돼요	당질 입자가 덜 파괴되어 천천히 소화, 흡수돼요	음식이 위장에서 배출되는 시간을 지연시켜 전분의 소화, 흡수 시간이 늦춰져요
☐ 쌈, 샐러드, 채소 스틱 등 생채소를 자주 먹겠어요!	☐ 나물은 물에 데치기보다 살짝 쪄서 준비할게요	☐ 압력밥솥 대신 일반 냄비에 밥을 지어볼게요!	☐ 양념이나 음식 위에 새콤한 식초 자주 이용하겠어요

이 책을 만든 사람들

처음임당 2주차

초판 1쇄 2022년 8월 15일

펴낸곳	(주)닥터다이어리
주소	서울특별시 강남구 대치동 890-8 연봉빌딩 8층 (주)닥터다이어리
전화	02-2135-2098
홈페이지	www.drdiary.co.kr

이 책을 만든 사람들		
	총괄	이산인군
	콘텐츠 제작 및 기획	김연수 / 박세연 / 임사라 / 김은혜
	편집 · 디자인	박길주
	영상 촬영 및 편집	김현민 / 양세윤 / 임태균

등록 제 2022-000210호
정가 26,000원 (4권 1세트) / 낱권 6,500원
ISBN 979-11-92593-10-4
ISBN 979-11-92593-08-1 (세트)

* 본 교재의 저작권은 (주)닥터다이어리에 있습니다.
  본 교재의 내용의 전부 또는 일부를 재사용하려면 반드시 저작권자의 서면 동의를 받아야 합니다.